Mon oncle Jules*

G000123207

1 Écoute et regarde ! Puis mets l'histoire en scène avec tes camarade

1
Bonjour, oncle Jules !
Bonjour, mon neveu ! Ton père est là ?
2
Bonjour, Jules !
Bonjour, mon frère ! Bonjour, chère belle-soeur ! Voilà... Je vais partir en Amérique : je suis au chômage et je voudrais trouver du travail là-bas...
3
Mais, il me faut de l'argent pour le voyage et pour les premiers mois...
Tu veux combien ?
4
Tu peux me prêter... 50 000 francs ?
Nous sommes désolés, ce n'est pas possible !
5
Je vais vous rendre cet argent très vite, ne vous inquiétez pas... Aidez-moi, j'ai besoin de vous !
Bon, d'accord...
6
Une semaine plus tard...
Au revoir, oncle Jules ! Bonne chance !
7
Six mois plus tard...
J'ai trouvé du travail chez un boulanger. Je vais bientôt pouvoir vous rendre votre argent...
8
Deux ans plus tard...
Enfin une lettre de l'oncle Jules !
9
Mon cher frère ! Je vais bien. Je pars demain pour un long voyage à travers l'Amérique. Je ne vais pas donner de mes nouvelles pendant plusieurs années. Mais ne soyez pas inquiets...

*D'après le conte de Guy de Maupassant (1883)

Dix ans plus tard...

Les affaires vont bien.
Je reviens peut-être
bientôt en France.
Nous allons enfin vivre
heureux ensemble !

Jules

10

Avec notre argent et l'argent de Jules,
nous pourrions acheter cette maison ?

Maison
à vendre

11

12

Et nous
pourrions acheter
ces jolies robes ?

Et nous pourrions tout de suite faire un
petit voyage en bateau ?

LE HAVRE
-
JERSEY

13

14

Regarde ! Il ressemble à Jules !
... C'est lui ?

15

Ce vieil homme, c'est qui ?

16

Ce vagabond ? Je l'ai
trouvé en Amérique
il y a un an.
Il s'appelle Jules.
Il a de la famille en
France, mais il ne veut
pas retourner
les voir parce qu'il
leur doit de l'argent,
ah ah !

17

18

C'est donc oncle Jules, le frère de papa ?
Mon oncle Jules ?!

Le voyage en ballon*

2 🔊🎧 **Écoute et regarde ! Puis transforme les phrases au passé composé !** Attention : *Je suis* (image 1), *nous sommes* (image 5), *elle a* (image 6) et *c'est* (images 6 et 7) seront, eux, à l'imparfait : *J'étais, nous étions, elle avait* et *c'était !*

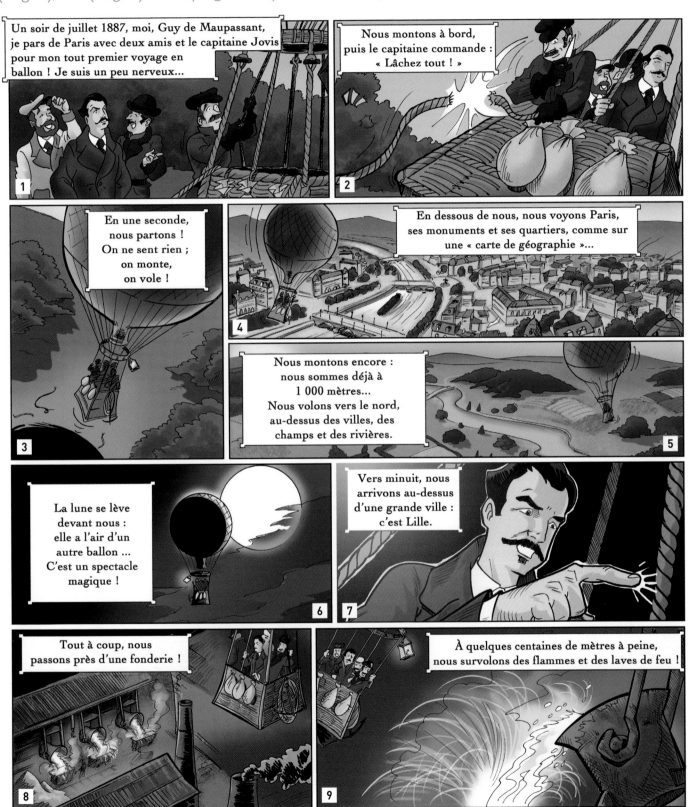

1 — Un soir de juillet 1887, moi, Guy de Maupassant, je pars de Paris avec deux amis et le capitaine Jovis pour mon tout premier voyage en ballon ! Je suis un peu nerveux...

2 — Nous montons à bord, puis le capitaine commande : « Lâchez tout ! »

3 — En une seconde, nous partons ! On ne sent rien ; on monte, on vole !

4 — En dessous de nous, nous voyons Paris, ses monuments et ses quartiers, comme sur une « carte de géographie »...

5 — Nous montons encore : nous sommes déjà à 1 000 mètres... Nous volons vers le nord, au-dessus des villes, des champs et des rivières.

6 — La lune se lève devant nous : elle a l'air d'un autre ballon ... C'est un spectacle magique !

7 — Vers minuit, nous arrivons au-dessus d'une grande ville : c'est Lille.

8 — Tout à coup, nous passons près d'une fonderie !

9 — À quelques centaines de mètres à peine, nous survolons des flammes et des laves de feu !

*D'après la nouvelle de Guy de Maupassant (1887), publiée sous le titre *Le voyage du Horla*

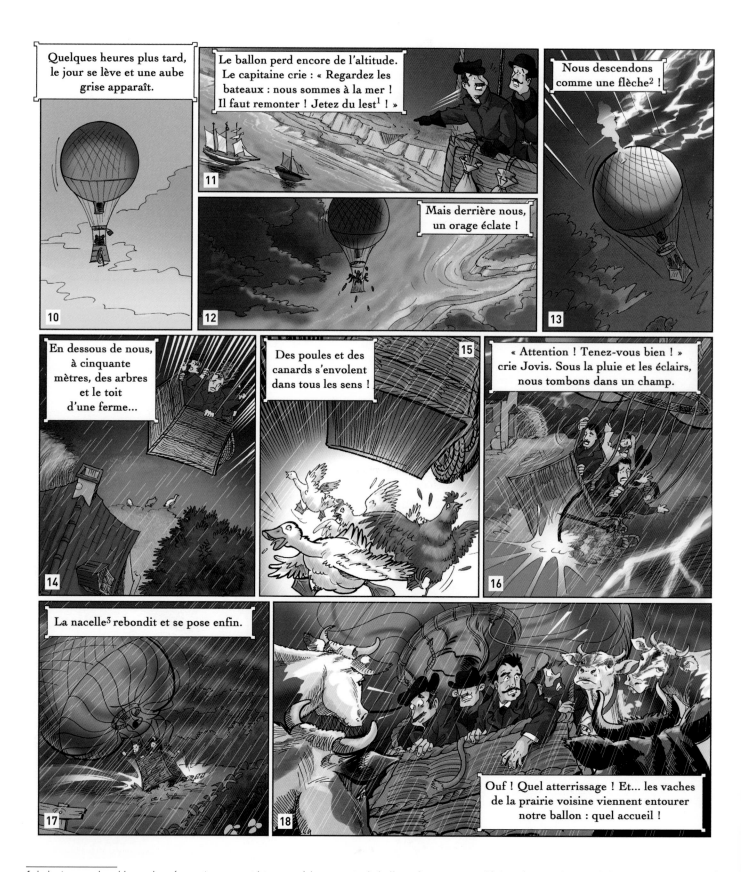

10 Quelques heures plus tard, le jour se lève et une aube grise apparaît.

11 Le ballon perd encore de l'altitude. Le capitaine crie : « Regardez les bateaux : nous sommes à la mer ! Il faut remonter ! Jetez du lest[1] ! »

12 Mais derrière nous, un orage éclate !

13 Nous descendons comme une flèche[2] !

14 En dessous de nous, à cinquante mètres, des arbres et le toit d'une ferme...

15 Des poules et des canards s'envolent dans tous les sens !

16 « Attention ! Tenez-vous bien ! » crie Jovis. Sous la pluie et les éclairs, nous tombons dans un champ.

17 La nacelle[3] rebondit et se pose enfin.

18 Ouf ! Quel atterrissage ! Et... les vaches de la prairie voisine viennent entourer notre ballon : quel accueil !

1. le lest : *sacs de sable que les aéronautes peuvent jeter pour faire remonter le ballon* – 2. comme une flèche = *à toute vitesse* – 3. la nacelle : *le panier fixé sous le ballon*

Le parapluie*

[3] 🗨️ Écoute et regarde ! Puis mets l'histoire en scène avec tes camarades !

1 Oh oh ! Voilà notre ami Louis avec son parapluie !

2 C'est ton objet fétiche ! Tu l'as toujours avec toi... depuis combien d'années, déjà ? Vingt ans ?

3 Il te ressemble, il a l'air un peu fatigué !

4 Tu devrais t'en acheter un autre !

5 Mais ma femme... Vous croyez qu'elle va m'acheter un parapluie neuf ?

6 Dis-lui : « Mes amis se moquent de mon parapluie : il m'en faut un autre ! »

7 Il m'en faut un autre !

T'en acheter un autre ? ... Bon, d'accord !

8 Quelques jours plus tard...

Ah ! Notre ami a enfin un nouveau parapluie !

9 Ah non ! Il ne faut pas ouvrir un parapluie dans une pièce : ça porte malheur !

*D'après la nouvelle de Guy de Maupassant (1884)

L'épave*

[4] 💬 Écoute et regarde ! Puis raconte l'histoire !

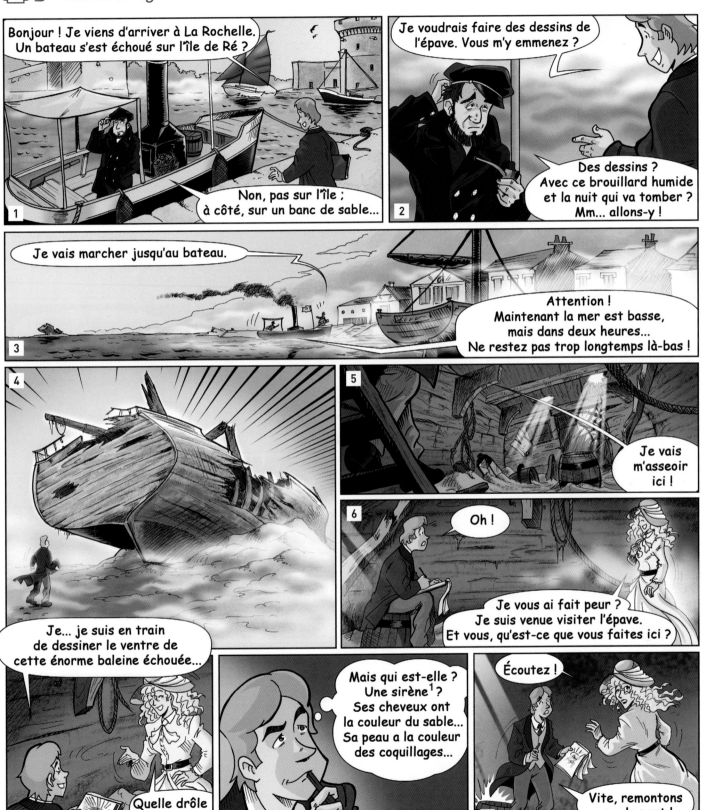

*D'après le conte de Guy de Maupassant (1886)
1. une sirène : *personnage fabuleux à corps de femme et à queue de poisson*

10. Trop tard ! La mer est là, tout autour de nous !

Maintenant, les naufragés, c'est nous !

11. La nuit va tomber : il faut rester sur ce bateau...

12. « Voici venir du fond des mers... les tristes, les vieilles épaves ! »

Le vent se lève ! Les vagues grossissent !

13.

14.

15. Ça va ? Vous n'avez rien ?

16. Une lumière, là-bas ! Nous sommes sauvés !

17. Je viens vous chercher... Vous êtes resté des heures sur cette épave, ça n'est pas raisonnable !

Merci, vous nous avez sauvé la vie !

18. Venez vite ! ... Mais, où êtes-vous ?

Montez ! Dépêchez-vous ! Il n'y a personne sur cette épave...

Aux champs*

5 🗣️💬 Écoute et regarde ! Puis imagine la suite de l'histoire !

Oh ! regarde ces enfants là-bas, si beaux et si pauvres ! Nous qui n'avons pas d'enfants, nous pourrions en adopter un... celui-là, le tout petit.

Qu'est-ce qui se passe ? Il faut sortir la voiture de là !

La roue est cassée !

Entrez donc et mettez-vous à l'abri pendant qu'on vous répare cette roue !

Comment s'appelle ce petit garçon ?

C'est mon Charlot !

Nous pourrions l'emmener, enfin, nous pourrions l'adopter...

Emmener mon Charlot ?

Ils veulent nous prendre le petit !

Une heure plus tard...

Voici déjà 100 francs pour vous !

Ils sortent de chez les Vallin...

Regarde bien : les voisins... ils ont vendu leur petit Jean ! Mais moi, Charlot, je ne t'ai pas abandonné pour de l'argent...

*D'après le conte de Guy de Maupassant (1882)

Le masque*

6 Écoute et regarde ! Transforme le texte des images 1 à 10 au présent ! Puis décris l'homme au masque !

*D'après le conte de Guy de Maupassant (1889)

1. Le Moulin-Rouge : *Créé en 1889 à Paris, il a d'abord été une salle de bal et est devenu ensuite une salle de spectacle.*

En voyage*

7 Écoute et regarde ! Décris les sentiments de Maria et du jeune inconnu !

*D'après le conte de Guy de Maupassant (1883)

Julie Romain*

🎧 💬 Écoute et regarde ! Puis raconte l'histoire !

*D'après la nouvelle de Guy de Maupassant (1886)

1. un couvert : *un verre, une assiette, une fourchette, un couteau, une cuillère…*

Le Horla*

9 Écoute et regarde ! Puis imagine la suite de l'histoire !

Mai 1887, près de Rouen...

J'aime regarder les bateaux qui passent sur la Seine !
Tiens, voilà un navire brésilien ! Comme il est beau !

1

Je tousse et j'ai de la fièvre.
Si cette toux ne s'arrête pas
et si cette fièvre ne baisse pas,
j'irai voir un médecin.

2

Quelques jours plus tard...

Le médecin m'a donné des médicaments,
mais je tousse encore et la fièvre n'a
pas baissé.

3

Je suis seul dans ma chambre et
pourtant je sens que quelqu'un
m'observe...

Je n'arrive
pas à dormir !

4

Le lendemain matin...

Ces insomnies, ce mal de tête...
Je partirai cet après-midi : un
petit voyage me fera du bien !

5

6

Bonsoir ! Vous êtes au Mont-Saint-Michel,
dans un lieu plein de légendes !
L'une d'elles dit qu'on entend quelqu'un parler
dans les sables du Mont, mais qu'on ne le voit
jamais...

7

Mais... si on ne voit pas cet homme,
c'est qu'il n'existe pas !

Tenez, voici le vent !
Vous pouvez le voir ?
Non ! Il existe pourtant !

8

Quelques jours se sont passés...

Je suis rentré hier.
Je n'ai plus d'insomnies.
Mais je ne suis pas
complètement guéri.

9

* D'après le conte de Guy de Maupassant (1887)

10 — Qui a bu l'eau de cette carafe ?

11

12 — « Il » était là, à ma place ! « Il » lisait mon livre !

13 — « Il » s'est enfui par la fenêtre et a fait tomber le fauteuil et la lampe ! Le journal ?
Et... cet article ?

14

Brésil: Une épidémie de folie dans la province de São Paulo !
Les habitants quittent leur maison : ils disent qu'ils sont poursuivis par des êtres invisibles qui boivent de l'eau et se nourrissent de leur souffle pendant leur sommeil !

15 — Le bateau brésilien ! « Il » est venu sur ce bateau ! On ne le voit pas, mais il est là le... le... comment l'appeler ? Oui, le Horla !! ... Il est derrière moi !

16 — Mon reflet ! Il m'a volé mon reflet !

17

18 — Je l'ai vu, l'être invisible ! Il se nourrit de mon souffle pendant mon sommeil, il me rend fou, il va me tuer... Non, c'est moi qui le tuerai !

Apparition*

[10] 💬 Écoute et regarde ! Dis ce qui s'est vraiment passé, selon toi ! Puis mets l'histoire en scène avec tes camarades !

*D'après le conte de Guy de Maupassant (1883)

Qui sait ?*

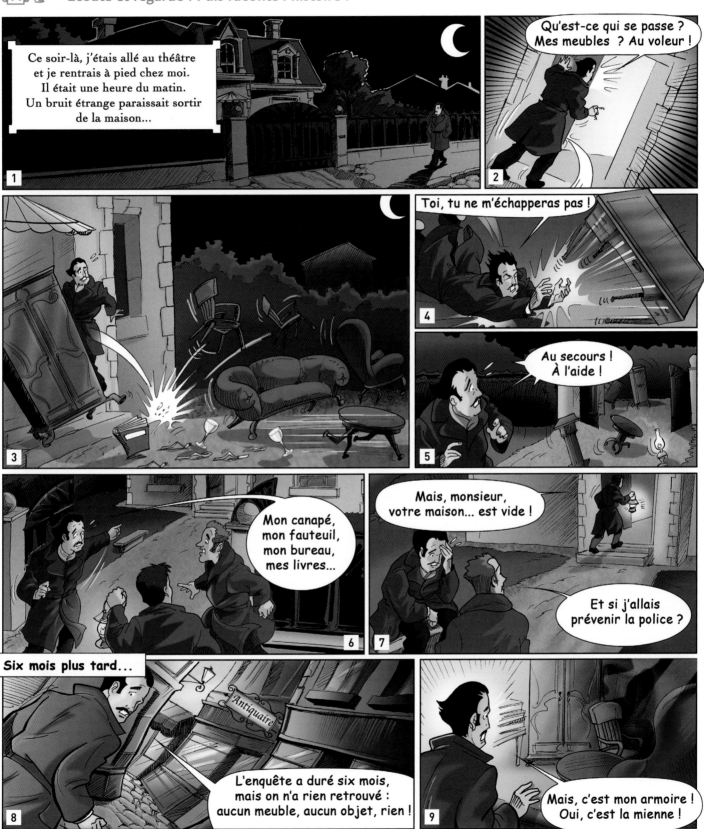

*D'après le conte de Guy de Maupassant (1890)

Ma table... mes chaises... mon bureau !? Tous mes meubles sont ici !

10

Bon... bonjour ! Voilà... je suis en train d'aménager ma maison. Je... j'aimerais acheter ces chaises !

Mais bien sûr, monsieur !

11

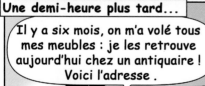

Une demi-heure plus tard...

Il y a six mois, on m'a volé tous mes meubles : je les retrouve aujourd'hui chez un antiquaire ! Voici l'adresse.

Commissariat de police

12

Fermé ? Nous allons faire ouvrir la boutique !

Fermé

13

Mais... ces meubles ne sont pas les miens !

Même pas quelques-uns ?

Non, aucun !

14

Mes meubles... sont revenus ! Mais... qui est cet homme ?

15

Le lendemain...

Voilà : un antiquaire a vidé ma maison de tous ses meubles. Il pourrait recommencer... Il m'en veut, j'en suis sûr !

Hôpital psychiatrique

16

J'ai peur, je deviens fou. Est-ce que je peux rester ? Ici, je suis en sécurité !

17

Mais si l'antiquaire devenait fou, lui aussi ? Et si on le conduisait dans cet asile ?

18

Sur l'eau*

[12] Écoute et regarde ! Cite les personnages des contes et nouvelles de Maupassant que tu reconnais ! Puis mets en scène cette histoire avec tes camarades !

*D'après le conte de Guy de Maupassant (1881)

Imprimé en France par Chirat en décembre 2020
N° de projet : 10270437
Dépôt légal : Septembre 2013
N° d'impression : 202011.0229